de Bibliotheek

Breda

Sam, de onzichtbare jongen

Sam,
de onzichtbare jongen

SALLY GARDNER

Deltas

Sally Gardner heeft verschillende populaire kinderboeken geschreven en geïllustreerd. Aanvankelijk werkte ze als ontwerpster van toneeldecors en -kostuums. Ze heeft een zoon en tweelingdochters en woont in Londen.

In deze reeks zijn ook verschenen:
Thomas, de jongen die kan vliegen
Sofie, het sterkste meisje ter wereld
Lisa, het kleinste meisje ooit

NEDERLANDSE
KINDERJURY
2005

Original title: *The Invisible Boy*
First published in Great Britain in MMII as a Dolphin Paperback by Orion
Children's Books, a division of the Orion Publishing Group Ltd.
Text and illustrations © Sally Gardner MMII.
All rights reserved.
© Zuidnederlandse Uitgeverij N.V., Aartselaar, België, MMV.
Alle rechten voorbehouden.

Deze uitgave door: Deltas, België-Nederland.
Nederlandse vertaling: Mirjam Bosman
D-MMV-0001-9
Gedrukt in België
NUR 282

'Niet te geloven', zei mam, toen ze de goud-kleurige envelop openmaakte. 'We hebben een reis naar de maan gewonnen.'

Pap, die een boterham aan het eten was en de krant las, zei: 'Da's leuk.'

'Leuk!' zei mam. 'Karel Straal, hoorde je wat ik zei? We hebben een reis naar de maan gewonnen. Zo'n kans krijgen we maar één keer! We vliegen eersteklas naar Houston, stappen daar op het Sterrenveer en logeren in het Maan Safari Hotel met uitzicht op de Kalme Zee. O Karel, we

zijn de eersten die deze fantastische prijs ooit
hebben gewonnen!'
Pap liet zijn boterham en krant zakken.
'Laat mij eens kijken', zei hij. 'O Lili, liefste, het is
niet te geloven. We gaan naar de maan!'
Sam liep de kamer in en vond zijn vader en moeder dansend rond de keukentafel. Ze zongen:
'Neem me mee naar de maan en laat me tussen
de sterren spelen.'
'Wat is er aan de hand?' zei Sam, die nog maar
half wakker was en er helemaal niet aan gewend
was zijn ouders zo hard te horen zingen op zater-
dagmorgen.

Ze vertelden hem het goede nieuws en praatten allebei opgewonden door elkaar. Daardoor duurde het eventjes voordat ze beseften dat kinderen onder de twaalf jaar niet mee mochten. Het betekende simpelweg dat Sam niet mee kon.

'Nou, dat was dan dat', zei pap, toen mam met Droommakers Reizen had gebeld om het nog eens na te vragen.

'Ik red het wel', zei Sam dapper. 'Hoor eens, jullie moeten gaan. Het is maar voor twee weken en ik heb een heleboel vrienden bij wie ik kan logeren, Billie bijvoorbeeld. Ik weet zeker dat zijn moeder het goed vindt.'

2

De grote dag brak aan. Mam en pap hadden alles
ingepakt en stonden klaar toen de telefoon ging.
Het was de moeder van Billie Brand. Het speet
haar verschrikkelijk, maar Billie was helemaal
niet goed. De dokter was net langs geweest en
had gezegd dat hij een heel besmettelijk virus
had. Sam kon nu onmogelijk komen. Mevrouw
Brand hoopte dat dit niet hun reis in de war zou
sturen.
'Wat moeten we nu doen?' zei mam, toen ze de
laatste koffer neerzette.
'Ik weet het niet', zei pap.
Op dat moment ging de bel van de voordeur. Pap
deed open. Tot zijn verbazing stond daar de
buurvrouw, mevrouw Hilda Hartsteen.
'Ik kwam even langs om te vragen of ik de plan-
ten water moet geven wanneer u weg bent', zei
ze met een glimlach.
'Dat is heel aardig van u, mevrouw
Hartsteen, maar ik denk dat we
helemaal niet op reis kunnen
gaan', zei pap.

'Wat is er dan aan de hand?' zei Hilda, terwijl ze
ongevraagd verder de hal in liep en de voordeur
achter zich dichtdeed. 'Niet meegaan op een reis
naar de maan die u maar één keer in uw leven
zult maken! Waarom zou u zoiets doen?'
Mam voelde zich een beetje dom. Ze had het beter moeten regelen. 'De moeder van de vriend
van Sam heeft zojuist gebeld om te zeggen dat
Sams vriend ziek is, dus Sam kan daar niet logeren', zei ze.
'O jee', zei mevrouw Hartsteen. 'Maar dat moet u
toch niet weerhouden. In ieder geval kunt u nu
niet afzeggen, nu de ogen van de wereld op u ge-
richt zijn, om het maar zo te zeggen.'
'We hebben echt geen keuze, ik kan Sam niet alleen laten', zei mam.

'We moeten meteen Droommakers Reizen opbellen om te zeggen dat we niet mee kunnen gaan', zei pap.

'Het is niet nodig om af te zeggen. In dat geval kan ik voor Sam zorgen', zei mevrouw Hartsteen beslist.

Mam en pap wisten niet wat ze moesten zeggen. Ze voelden zich een beetje in verlegenheid gebracht. Meneer en mevrouw Hartsteen waren hun buren, en dat waren ze al jaren, maar ze wisten niets van hen, behalve dat ze zich met niemand bemoeiden en best wel aardig leken.

Sam verbrak de pijnlijke stilte.

'Dat is de oplossing, pap', zei hij en probeerde opgewekt te klinken.

Mam en pap keken eerst naar elkaar en toen naar Sam. O, ze hielden zoveel van hun kleine jongen! Hun hart brak toen ze zagen hoe groot en moedig hij was.

'Het is heel aardig van u, mevrouw Hartsteen, maar...'

Mevrouw Hartsteen nam het heft in handen. 'Hilda', zei ze. Op dat moment ging de voordeurbel. 'Verder geen gemaar', zei Hilda en opende de voordeur alsof het haar eigen huis was.

De Klapweg was bijna onherkenbaar. Het stond
er vol tv-camera's en mensen die wilden komen
feliciteren. Voor de voordeur stond een glanzen-
de, witte limousine geparkeerd, die klaarstond
om de familie Straal weg te brengen.
Een tv-presentator met een gezicht als in een
spelprogramma liep de gang in, waar mam en
pap stonden. Ze keken allebei als een paar ver-
schrikte konijnen, die gevangenzaten in de kop-
lampen van een naderende circuswagen.
'Meneer en mevrouw Straal, vandaag is het uw
dag! U bent de winnaar van Droommakers weg-
van-deze-wereld!' zei de presentator. 'Hoe voelt u
zich?'
Pap en mam stonden als verlamd op hun plaats.
'Ja', zei de presentator. 'Ik zou er ook geen woor-

den voor hebben als ik het geluk had gehad naar de maan te gaan.'

Hilda nam het woord. 'Ze zijn een beetje verdrietig omdat ze hun zoon moeten achterlaten. Maar het komt goed met hem. Ernie en ik gaan voor hem zorgen.'

De camera draaide naar het gezicht van Sam.

'U bent zeker zijn aardige en toegewijde oma', zei de presentator, opgelucht dat in ieder geval iemand van de familie iets zei.

'Nee,' zei Hilda, 'ik ben de buurvrouw van hiernaast.'

De presentator straalde met zijn meest onechte lach en zijn tanden schitterden als een neonreclame. 'Zo, daar heb je nu buren voor!' zei hij en sloeg een arm om Hilda en Sam.

Hilda was in de zevende hemel omdat veertig miljoen kijkers over de hele wereld haar zo kon-

den zien. Mam en pap glimlachten zwakjes. Ze hadden nog geen ja gezegd. Dit ging allemaal veel te snel.

'Ik heb een wegwerpcamera meegenomen', ging Hilda verder. 'Ik hoopte dat mijn lieve vrienden Karel en Lili wat mooie foto's konden maken van de Kalme Zee voor mijn Ernie. Hij wil weten wat voor watersporten ze daarboven op de maan hebben.'

'Nou, is dat niet schattig', zei de presentator en gaf de camera aan mam. Toen duwde hij mam en pap het huis uit in een zee van flitsende cameralichten. En ergens in die verwarrende chaos waarin zij zich bevonden, merkten ze dat ze van Sam waren weggeraakt. Snel werden ze weggevoerd in de witte limousine. Het laatste wat ze van Sam zagen, was dat hij dapper zwaaide.

4

Er stonden twee dingen boven aan het wensen-
lijstje van Hilda Hartsteen. Ze stonden daar al
veertig jaar en tot vandaag had niets erop gele-
ken dat ze ooit zouden uitkomen. De eerste wens
was op tv te komen, de tweede was om rijk te
worden.

'Ik weet niet wat jou bezielt, snoes, je haat jongens', zei Ernie luid fluisterend nadat Sam naar
bed was gegaan. 'Je zei altijd dat ze naar oude
sokken roken waar een hond op had gekauwd.'

'Je hoeft niet te fluisteren, Ernie Hartsteen, behalve als ik zeg dat je moet fluisteren', snauwde ze
terug.

Sam, die boven in slaap probeerde te komen in
de koude logeerkamer waar geen gordijnen hin-
gen, hoorde de stem van Hilda. Hij sloop naar de
overloop om te horen wat er aan de hand was.
Door wat hij hoorde, werd het nog moeilijker om
in slaap te komen.

'Hoe anders zou ik ooit op tv kunnen schitteren,
sufkop?' zei Hilda. 'Je hebt het toch wel op video
opgenomen?'

'Ja, iedere minuut, liefje', zei Ernie.

'Mooi', zei Hilda. Toen bedacht ze iets en zei: 'De ouders van Sam moeten wel een grote reisverzekering hebben afgesloten, denk je niet?'

'Nou, als zij dat niet hebben gedaan, dan heeft Droommakers Reizen dat wel gedaan, denk ik', zei Ernie, die op de *play*-knop van de video drukte.

'Als er nou eens iets mis ging met dat Sterrenveer! Denk eens aan al dat verzekeringsgeld', zei Hilda en wreef haar handen in elkaar van vreugde.

'Dat is niet erg aardig', zei Ernie.

'Wie zei er iets over aardig zijn', zei Hilda en een boosaardige grijns gleed over haar gezicht.

Sam ging terug naar zijn koude,
ongezellige bed. Zijn ogen schoten vol tranen. O, hij hoopte toch
zo dat er niets mis zou gaan en
dat zijn mam en pap weer gauw
veilig thuis zouden zijn!
De volgende dag ging Sam terug
naar school en hoefde alleen 's
avonds maar bij Hilda en Ernie te
zijn. Alle avonden waren lang en
saai. Nooit was er genoeg te eten.
Na de thee zaten ze altijd samen
tv te kijken en dan gaf Hilda wat

van haar zelfgemaakte zoete toffees. De eerste avond had Sam zo'n honger gehad, dat hij de fout had gemaakt er eentje te nemen. Tot zijn afschuw leek zijn mond aan elkaar te kleven, waardoor hij nauwelijks kon slikken, laat staan iets zeggen. Hij kon alleen maar zitten en proberen de zoete toffee weg te krijgen, terwijl hij luisterde naar het gesnurk van Ernie en het gerommel van de buik van Hilda, dat op een oude afwasmachine leek.

Het kon niet snel genoeg bedtijd zijn. Iedere avond dankte Sam de sterren dat het weer een dag dichter bij de thuiskomst van mam en pap was.

Maar toen, op de dag dat zijn ouders naar de aarde zouden terugkeren, gebeurde het ondenkbare. Houston zei dat ze alle contact met het Sterrenveer hadden verloren. Ze hoopten dat het gewoon een storing van de computers was. Langzaam gingen uren vol verdriet voorbij, maar het Sterrenveer kon nog steeds niet opgespoord worden. Ten slotte verkondigde een woordvoerder van Droommakers Reizen op het nieuws van zes uur dat het Sterrenveer werd vermist.

5

De volgende morgen was Sam klaar om naar school te gaan. Hij wilde aan zijn juf en meester vertellen dat hij niet langer bij de familie Hartsteen kon logeren. Hij had een heleboel vrienden op school. Hij wist zeker dat er iemand was die hem wilde helpen.

Hilda moet geweten hebben wat hij van plan was, want ze wachtte hem op bij de voordeur.

'Waar denk jij heen te gaan?'

'Naar school', zei Sam.

'Nee, je gaat niet. Geen sprake van. Niet in deze droevige tijd', zei Hilda beslist.

'Ik kan hier niet blijven, ik bedoel, ik zou hier alleen maar blijven totdat mam en pap thuiskwamen', zei Sam.

'Nou ja, ze zijn nog niet thuis, is het wel, dus het ziet ernaar uit dat je aan ons vastzit', zei Hilda zelfvoldaan.

'Maar...' zei Sam.

'Met die maren moet het maar eens afgelopen zijn', zei Hilda en duwde hem terug naar boven naar zijn slaapkamer.

De dagen die volgden gingen in een waas voorbij. Hilda liet hem niet naar school gaan of zelfs maar alleen naar buiten gaan. Niet met al die pers en tv die zich in de voortuin hadden geïnstalleerd. De ouders van Sam Straal waren *hot* nieuws. De foto van Sam kwam op iedere tv-zender, in iedere krant en overal in de wereld op internet. Sam herinnerde zich slechts flitslichten en dat Hilda en Ernie de beste buren van het land werden genoemd.

Na een zenuwslopende week zeiden de functionarissen in Houston dat het Sterrenveer verdwenen was in de ruimte. Er werd aangenomen dat iedereen aan boord dood was.

Dat was dat. Geen spannende foto's die nog konden worden gemaakt. De mensen van de tv en de pers pakten hun spullen en gingen weg.

Sam en zijn ouders werden oud nieuws. Zij stonden in oude kranten die tussen dode herfstbladeren dwarrelden en net als zij tot het verleden behoorden.

6

Het idee dat zij de beste buren van het land werden genoemd, sprak Hilda wel aan en ze had er alles uitgehaald wat eruit te halen viel. Ze trok een vriendelijk en zorgzaam gezicht, waardoor de pers en de vrienden van de familie Straal zeiden dat Sam geluk had dat meneer en mevrouw Hartsteen er waren om voor hem te zorgen. Vooral omdat hij geen verdere familie had.

Maar achter die doorzichtige vermomming zat Hilda plannen te maken. Ze had een goedkoop huisje aan zee gehuurd en liet Ernie een brief aan Sams school schrijven, waarin stond dat ze Sam meenamen voor een vakantie. Dan zou hij misschien over het verdrietige verlies heen kunnen komen.

Het plan van Hilda was simpel, en het plan was om het verzekeringsgeld van de familie Straal te pakken te krijgen. Dat zou haar niet lukken als Sam zou zeggen dat hij niet bij hen wilde blijven. En ze kon hem niet

voor altijd blijven opslui-
ten. Nee, het beste was
om meteen te vertrek-
ken. Er waren te veel
mensen die hulp aan-
boden. Meneer Jansen,
die de Ford
Cortina van Er-
nie had gerepa-
reerd, had nog
maar pas vorige

week gezegd dat hij en zijn gezin heel graag voor
Sam wilden zorgen.

Ernie begreep niet zo goed waarom Hilda dol-
graag Sam wilde houden.

'Waarom doe je al die moeite en geef je zoveel
geld uit voor een vakantie aan zee?' vroeg hij.
'We gaan nooit weg.'

'Omdat we hier niet kunnen blijven. De mensen
zullen vragen gaan stellen', zei Hilda beslist.

'Waarover?' zei Ernie en krabde op zijn hoofd.

'Over wie er voor Sam gaat zorgen', zei Hilda,
die haar geduld begon te verliezen. 'We willen
niet dat hij zegt dat hij het hier niet leuk vindt.'

'Dat weet ik wel zeker', zei Ernie. 'Wij kunnen

niet voor hem zorgen. We weten toch helemaal niets van jongens.'

Het haar van Hilda ging rechtovereind staan als een oude haarborstel. 'Ik zeg dit maar één keer, Ernie Hartsteen, en als het dan nog niet tot die hersenen van gatenkaas van jou doorgedrongen is, dan kun je voor mijn part buiten in dat tuinschuurtje gaan wonen, samen met je 27 MC-band radio.'

Ernie keek naar Hilda. Het was geen prettig gezicht om naar haar te kijken.

'De familie Straal', zei ze tegen hem alsof hij nog maar vijf jaar oud was, 'was voor een heleboel geld verzekerd bij Droommakers Reizen en nu ze dood zijn, gaat dat geld naar Sam. Of om het preciezer te zeggen, naar de verzorgers van Sam.'

'Als we het goed spelen, zijn jij en ik dat.'

'Dus wij gaan Sam adopteren', zei Ernie, die nog steeds niet helemaal snapte wat Hilda van plan was. 'Denk je niet dat wij een beetje te oud zijn om een jongen op te voeden, liefje?'

Hilda keek Ernie aan als een kat die naar een muis kijkt. 'Nee,' zei ze, 'het betekent, sukkel, dat wij rijk worden.'

'Hoe denk je dat voor elkaar te krijgen, snoes?'

zei Ernie en snapte er nog minder van. 'Het is tenslotte het geld van Sam en ik denk niet dat hij wil dat het aan ons gegeven wordt.'

Hilda zuchtte. 'Soms vraag ik me af hoe jij met zo weinig hersenen het voor elkaar krijgt om te leven.'

'Dat is niet eerlijk, liefje', zei Ernie pijnlijk getroffen met zachte stem.

'O, alsjeblieft, het leven is niet eerlijk', zei Hilda. 'Het geld wordt van ons en als we het eenmaal te pakken hebben, zijn we vertrokken naar ergens waar de zon altijd schijnt. Ik ga het leven leiden dat ik verdiend heb. Sam kan ernaar fluiten en jij ook als jij niet wat actiever wordt.'

Ernie wist dat het geen zin had om met Hilda te redetwisten. Als ze eenmaal een idee in haar hoofd had, was dat alsof je toekeek hoe een olifant, nee, een tientonner in een porseleinkast stapte. Niets kon haar op zo'n moment tegenhouden.

7

Die nacht kon Sam niet slapen. Hij keek door
het kale raam naar de achtertuin, met zijn net-
te rijen pompoenen, het tuinschuurtje en de
tuinkabouters waar het maanlicht op scheen.
Hij kon zelfs de boomhut zien, die hij en zijn
vader hadden gemaakt in de tuin ernaast.
Sam richtte zijn schijnwerper op de donkere
sterrenhemel. Hij had zich nog nooit zo alleen
gevoeld. Het heelal zag er zo oneindig groot
uit. Waar eindigde het? Hij voelde zich nietig
en onzichtbaar.

Sam ging weer in bed liggen en probeerde te slapen. Plotseling hoorde hij buiten een harde klap. Hij ging rechtop in bed zitten en spitste zijn oren. Alles bleef stil in huis. Sam wist zeker dat als het iets belangrijks was geweest, Hilda en Ernie razendsnel waren opgestaan, maar niemand verroerde zich. Sam stond op en keek weer uit het raam. Alles zag er precies hetzelfde uit buiten, behalve dat er iets gloeide in het perkje van de pompoenen.

Sam liep heel voorzichtig op zijn tenen langs de slaapkamer van Hilda en Ernie. De deur stond op een kier en het gesnurk van Hilda was gelukkig luid genoeg om de krakende traptreden te overstemmen. Hij liep naar be-

neden naar de achterdeur en met grote moeite
slaagde hij erin ze stilletjes open te maken. Hij
voelde zich een beetje stom zoals hij in de tuin
stond midden in de nacht met zijn pyjama en
pantoffels aan. Hij was ook een beetje bang, want
als hij nu gesnapt werd, zou hij in grote moeilijkheden zitten.

Langzaam liep hij over het tuinpad. Daar, tussen
de kabouters en de gigantische pompoenen,
stond iets wat leek op een metalen slawasser. Een
beetje zoals die welke Hilda gebruikte om haar
sla in te wassen, maar dan groter en veel mooier.

Er kwamen gonzende geluiden uit.

Toen klapte tot zijn afgrijzen door een windvlaag de achterdeur dicht. Sam draaide aan de klink, maar de deur bleef dicht. Hij was buitengesloten. Dat zag er helemaal niet goed uit. Dit is vast en zeker een droom, dacht Sam. Want daar liep een buitenaards wezen rond met een groene huid met stippen, die naar de tuinkabouters boog en zei: 'Hallo, ik kom in vreet. Breng me naar je chef-kok.'

Toen de kabouters geen antwoord gaven, zette het buitenaards wezentje, dat niet veel groter was dan de kabouters, de twee lange, roze kwastjes recht die boven uit zijn hoofd staken en begon opnieuw. 'Hallo, ik kom in vreet…' 'Kan ik helpen?' vroeg Sam.

8

Het buitenaards wezentje keek op, niet in het minst uit het veld geslagen door iemand die zoveel groter was dan hij. 'Ik heet Splotsh', zei hij. 'Ik kom van Tien Ringen Planeet, ik kom in vreet.'

'Aangenaam kennis te maken. Ik ben Sam Straal', zei Sam.

'Ben jij de grote chef-kok?' vroeg Splotsh.

'Nee,' zei Sam, 'ik ben maar een kind. Ik kook niet.'

Splotsh keek hem eventjes aan en zei toen: 'Een blik ogen, alsjeblieft.' Hij rende terug naar waar de metalen slawasser stond en stapte haastig naar binnen.

'Als dit een droom is,' zei Sam tegen

zichzelf, 'waarom ziet alles er dan zo echt uit?'

'Chef,' zei het buitenaards wezen dat weer naar buiten kwam, 'breng me naar je chef.'

'Als je mevrouw Hilda Hartsteen bedoelt,' zei Sam, 'ik denk niet dat die zo blij is om jou te zien.'

Splotsh leunde tegen een bloempot en mompelde in zichzelf. Toen wees hij naar de tuinkabouters en zei: 'Wie zijn al die mensen? Zijn zij gevangenen van de Steen?'

'Nee,' zei Sam, 'ze zijn geloof ik van plastic, ze kunnen niet praten. Ze zijn er alleen maar als versiering van de tuin.'

Splotsh maakte een raar geluid en heel eventjes dacht Sam verschrikt dat hij stikte. Hij kende geen snars van eerste hulp aan buitenaardse wezens. Tot zijn grote opluchting zag hij dat Splotsh lachte. Sam begon ook te lachen. Splotsh liep naar een kabouter toe en duwde hem zachtjes omver. Weer begon hij te lachen.

'Sst', zei Sam, die niet wilde dat Hilda en Ernie wakker werden. 'Waarvoor ben je hier?' vroeg hij. Splotsh keek hem aan alsof hij zojuist de allerdomste vraag had gesteld.

'Saus van tomaat 57', zei hij.

Dit was idioot, dacht Sam. 'Je bedoelt tomaten-ketchup? Ben je daarvoor helemaal hiernaartoe gekomen?'

'Ja', zei Splotsh. 'Ik ben van Tien Ringen Planeet hierheen gekomen om saus van tomaat 57 mee naar huis te nemen als cadeautje voor mijn moe-ders', hij dacht eventjes heel diep na, 'hallo leuk dat je er bent dag.'

'Zoiets als een verjaardag', zei Sam.

'Wat is dat?' vroeg Splotsh.

'O, weet je wel, de dag dat je geboren bent', zei Sam.

'Dat is het', zei Splotsh. 'Een verjaardags-moe-ders-cadeau.'

'Ik denk dat je op de verkeerde plek bent', zei Sam. 'Je moet in de supermarkt zijn.' Hij wees in de richting van de winkels. 'Het is ongeveer een kilometer hiervandaan.'

Splotsh boog. 'Dankjebeetje', zei hij en liep terug naar de metalen slawasser.

'Tussen twee haakjes, wat is dat?' vroeg Sam.

'Een ruimteschip', zei Splotsh en verdween naar binnen. De deur ging achter hem dicht. Sam wachtte en wist niet wat hij moest doen. Heldere kleuren flitsten uit het ruimteschip. Toen het op-steeg, kwam er een vreemd ruisend geluid uit. Het zweefde twee meter boven de grond en viel toen weer met een klap naar beneden. Er volgde

nog een luide knal en toen schoof de deur open.
Splotsh stak eerst zijn achterste naar buiten. De
twee kwasten boven op zijn hoofd zaten nu in elkaar geknoopt.
'Hut geflipflopt', zei hij.
'Kapot?' vroeg Sam.
Het ruimtewezentje knikte. 'Gewamslingerd', zei
hij verdrietig. 'Ik moet het ruimteschip doorzich-
tig maken.'
'Je bedoelt onzichtbaar?' zei Sam. 'Hoe doe je
dat?'

9

Plotseling ging er een licht aan in huis. De gordijnen werden opengetrokken en daar verschenen
Hilda en Ernie als poppetjes in een poppen-
theater.

Splotsh stond verlamd van angst. Hij had nog
nooit zoiets angstaanjagends gezien.

'Dat zijn de Stenen hart?' zei hij.

'Ja', slikte Sam.

Hij keek omlaag naar Splotsh, maar tot zijn verbazing en ontsteltenis was hij verdwenen. Sam
werd erg bang, toen hij daar helemaal alleen in
de tuin stond midden in de nacht in zijn nachthemd en met zijn pantoffels aan. Hoe kon hij dit
allemaal uitleggen? Zijn benen begonnen te tril-
len. Tot zijn verbazing hoorde Sam toen de stem
van Splotsh.

'Schiet op,' drong hij aan, 'het is onzichtbaar-tijd.'

'Wat?' zei Sam. Hij kon Splotsh niet zien, maar
voelde iets onder aan zijn pyjama trekken.

'Schiet op,' zei Splotsh weer, 'of je wordt gewamslingerd.'

Het was al te laat. De achterdeur ging open en

daar stonden Ernie in zijn rubberlaarzen en Hilda met rollers in haar haren. Ze zag er afschrikwekkender uit dan welk buitenaards wezen ook. Ze scheen met een schijnwerper in de tuin. 'Ik denk dat het die jongen is daar bij het tuinschuurtje.'

'Waar?' zei Ernie. 'Ik zie niets.'

'Dat komt omdat jij een bijziende oelewapper bent', siste ze. 'Als die snotterende, stinkende kleine schooier van een jongen daar buiten is, dan zit hij in grote moeilijkheden.'

'Wat doe je?' zei Splotsh tegen Sam. 'Nu onzichtbaar-tijd.'

'Dat kan ik niet', zei Sam wanhopig.

Toen voelde hij dat Splotsh iets tegen zijn been duwde en het volgende ogenblik merkte hij dat hij helemaal onzichtbaar was. Behalve zijn pantoffels, die weigerden te verdwijnen.

'Ik denk dat je je
maar wat hebt in-
gebeeld', zei Ernie,
die heel graag te-
rug naar zijn war-
me bed wilde.
'Ik beeld me niks
in', zei Hilda effen.
'Doe je bril op en
kijk eens goed.
Vooruit, ik heb

geen zin om hier de hele nacht te staan.'
'Goed, goed', zei Ernie en nam de schijnwerper
van haar over. 'O ja, ik denk dat ik iets zie,
snoes.'
'Wat?' zei Hilda en ging Ernie achterna.
Sam stond als aan de grond vastgenageld. Zijn
pantoffels waren in het maanlicht zo duidelijk
zichtbaar als een neonlicht. Hilda en Ernie kwa-
men recht op hem af.
'Ik wou...' begon Sam.
Ernie keek om zich heen. 'Zei je iets, lieverd?'
'Doe niet zo raar, Ernie. Gewoon doorlopen',
snauwde Hilda.
Langzaam drong het tot Sam door dat hij werke-

lijk onzichtbaar was en dat het niet zijn pantoffels waren die Ernie gezien had. Het was het ruimteschip. Snel liep Sam terug naar de open achterdeur. Zijn hart bonkte zo hard dat hij zeker wist dat zelfs als Hilda hem niet kon zien, ze hem wel kon horen. Hij ging het huis binnen met Splotsh nog steeds vastgeklemd aan zijn been. Toen hij eenmaal veilig binnen was, sloot Sam de achterdeur en deed ze op slot.

Splotsh stond in de keuken met zijn voet te tik-
ken. 'Zie nu jou', zei hij ongeduldig tegen Sam,
maar alles wat van Sam te zien was, waren zijn
nachthemd en zijn pantoffels. Sam zelf was compleet onzichtbaar.
Sam vond het leuk en hij bedacht dat onzichtbaar
zijn misschien wel de oplossing was voor al zijn
problemen. Nu kon hij ontsnappen aan de familie
Hartsteen en om hulp vragen. Dat was totdat hij
in de spiegel keek. Er was niets te zien. Hoe kon
iedereen weten dat hij
Sam Straal was als hij onzichtbaar bleef?

Plotseling hoorde hij een
hard geluid achter zich. Sam
draaide zich om en zag dat
Splotsh aan de radio knoeide.
Snel deed Sam hem uit.
'Geflipflopt! Gefrutsslingerd!
Heb radio nodig', zei Splotsh
en trok aan een van zijn
kwasten. 'Moet jij begrijpen.'

Hilda en Ernie sloegen nu zo hard als ze konden
op de achterdeur.
Sam pakte Splotsh op en ging naar boven naar
zijn kamer en haalde zijn walkman tevoorschijn.
Splotsh deed in iedere kwast een oordopje, sloot
zijn ogen, sloeg zijn armen om zijn dikke buikje
en luisterde. Na een minuut of twee begon hij
met hoge stem mee te zingen.

'Hip hop we houden nooit meer op
onze planeet danst de rock-'n-roll
hip hop dit houdt nooit meer op
wij Marsmannen gaan uit hun bol.'

'Niet zo hard', zei Sam wanhopig tegen Splotsh,
die zei: 'Vind de muziek leuk, kerel, het swingt.
Maar vertel me eens, hoe komt het dat jij niet

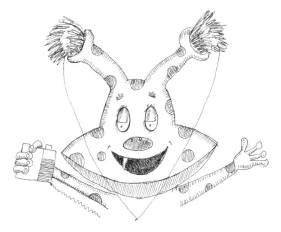

weet hoe je zichtbaar-onzichtbaar moet doen?
Heb je moeilijk geleerd?'

'Nee,' zei Sam, 'wij mensen doen dat niet.' Hij
begon zich een beetje zorgen te maken. 'Wat
duwde jij tegen mij aan in de tuin?' zei hij.

'Mijn enige echte plaatje', zei Splotsh. 'Ik wilde
het gebruiken voor mijn ruimteschip, maar toen
ik de Steen hart zag en jou niets doen om te ontsnappen, deed ik wat iedere andere Splotsher zou
doen: jou helpen. Want, mijn mensboontje, jij was
vergeten en helemaal hoe je onzichtbaar wordt.'

'Nee,' zei Sam, 'ik zeg je steeds dat wij niet doen
aan onzichtbaar.'

'Hoe leven jullie?' zei Splotsh vol me-
delijden, alsof het om een ontwerp-
foutje van de mensen ging dat al
jaren geleden verbeterd
had moeten worden. 'Het
moet vreselijk zijn om altijd gezien te worden.'

'Dat klopt', zei Sam.

'Voor een Splotsher',
zei Splotsh geeu-
wend, 'is onzichtbaar
zijn net als lopen

beengewoon. Het is gewoon wat we doen.'

'Hè,' zei Sam, 'ik kan je niet meer volgen.'

Splotsh deed een van zijn beentjes omhoog en wees. 'Beengewoon.'

'Je bedoelt been', zei Sam.

'Ja', zei Splotsh. 'Het is supersimpie, als je het eenmaal onder de kniegreep hebt. Net als een taal leren.' Ondertussen maakte hij voor zichzelf een bed in het oude sokkenmandje van Hilda. 'Morgen, als de zon opkomt om jou dag te zeggen,' zei hij, 'pak ik mijn ruimteschip terug.'

'Ben ik morgen weer zichtbaar?' zei Sam, maar Splotsh was al diep in slaap.

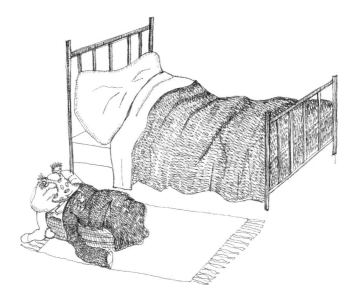

Toen Sam wakker werd, zag hij dat hij weer helemaal normaal was. Hij poetste zijn tanden, waste
zich en kleedde zich aan. De hele tijd dacht hij eraan hoe te gek het zou zijn als hij werkelijk onzichtbaar was. Hij ging naar beneden om te ont-
bijten.

Hij was verbaasd toen hij
zag dat er koffers in de
gang stonden en dat Hil-
da blikken voedsel in do-
zen aan het pakken was,
die Ernie naar buiten
bracht naar de auto. Mis-
schien gingen ze weg, dacht Sam, dan zou hij
eindelijk de kans krijgen weg te komen. Toen zag
hij dat er van de achterdeur een paneel miste. Hij
wilde bijna vragen hoe dat gebeurd was, maar
aan de blik op het gezicht van Hilda kon hij zien
dat dat niet zo'n goed idee was.

'Luister naar me', zei ze, terwijl ze nog een doos
op Ernie stapelde. 'We nemen je mee voor een
paar dagen vakantie aan de kust.'

'Ik wil niet mee, ik kan niet meegaan', zei Sam in paniek. 'Ik bedoel, ik wil niet weggaan bij mijn huis, voor het geval mam en pap terugkomen en mij dan niet kunnen vinden.'

'Hij heeft een punt, liefje', zei Ernie, terwijl hij de doos op de hoek van de keukentafel liet rusten. 'Daarbij, wie gaat mijn grote pompoenen water geven?'

'Hou jij je erbuiten, Ernie Hartsteen', zei Hilda beslist. 'Nu moet jij eens goed naar me luisteren, jongeman. Je vader en moeder komen nooit meer terug. Hoe sneller dat tot jouw hersenen doordringt, hoe beter.'

Sam voelde de tranen in zijn ogen branden.

'Je zou dankbaar moeten zijn,' zei Hilda, terwijl ze de metalen slawasser oppakte en boven op de doos zette die Ernie droeg, 'dat we dit allemaal alleen maar voor jou doen.'

'Dat hoeft niet', zei Sam wanhopig. 'Waarom gaan júllie niet, dan kan ik toch bij een vriend logeren?'

Het gezicht van Hilda vertrok, waardoor ze eruitzag als een heks.

Sam was niet van plan te gaan huilen waar zij bij was. Hij keek weer naar de metalen slawasser.

Hij wist zeker dat hij die al eens eerder
had gezien.

'Waar heb je dit vandaan?' vroeg hij toen
hij het ding oppakte.

Hilda griste het uit zijn handen. 'Hou op
met dat gezeur en ga weg voordat ik je een draai
om je oren geef, jij ondankbaar klein scharmin-
kel.' Op dat moment gaf ze een gilletje. 'Wat heb
je met je oor gedaan?'

'Niets', zei Sam.

'Hebben jongens geen twee oren, lieverd?' zei Ernie.

'Natuurlijk hebben ze die, sukkel.' Ze trok Sam
naar de spiegel. Inderdaad
was een van zijn oren onzichtbaar, hoewel hij het nog wel
kon voelen.

'Misschien is het eraf gevallen', zei Ernie. 'Ik denk dat
we het maar beter kunnen

gaan zoeken en Sam dan naar het ziekenhuis brengen om te kijken of ze het oor er weer aan kunnen hechten.'

'Hou je mond, Ernie, en breng die doos naar de auto', zei Hilda, terwijl ze Sam oplettend bleef aankijken. 'Ben jij een spelletje met me aan het spelen?' zei ze en stak haar hand uit om het vermiste oor aan te raken. Sam ging snel ergens anders staan.

'Ik denk dat Ernie gelijk heeft, we kunnen beter hier blijven', zei Sam.

'O, denk je dat?' zei Hilda, terwijl ze haar armen over haar omvangrijke borst vouwde. 'Nou, ik laat me niet beetnemen door jou. En ga nu naar boven om te pakken, en tussen twee haakjes, als je je vermiste oor vindt, neem dat dan ook mee.'

12

De enige gedachte waar
Sam troost uit putte, was
dat dit misschien geen
droom was. In dat geval zou hij een buitenaards
wezen vinden dat Splotsh heette en in het sokkenmandje sliep. Tot zijn vreugde en grote opluchting lag hij daar inderdaad, opgerold tot een
bal.

'Goede maan voor jou', zei Splotsh, terwijl hij
zijn armpjes uitstrekte.

'We gaan weg, kom nu naar beneden', schreeuwde Hilda.

'Is dat de roep van de Steen hart?' vroeg Splotsh
slaperig.

'Luister,' zei Sam, 'ik wil niet weg, maar ze nemen me mee naar de kust en ik kan je hier niet
helemaal in je eentje achterlaten.'

'Ik kan niet weggaan van mijn ruimteschip,' zei
Splotsh, 'dus ik denk dat dit toedeloe is.'

'Dan heb ik slecht nieuws voor je', zei Sam. 'Jouw
ruimteschip zit in de auto die mij meeneemt. Hilda denkt dat het een slawasser is.'

Splotsh ging rechtop zitten en keek Sam aan. 'Het is een eersteklas ruimteschip', zei hij.

De stem van Hilda werd luider en valser. 'Als ik naar boven moet komen om je te halen, dan zwaait er wat. Hoor je me, knul?'

Zonder nog iets te zeggen stond Splotsh op, liep naar de rugzak en klom erin. 'Het enige goede is, dat je weer zichtbaar bent', zei hij en maakte het zich gemakkelijk in de rugzak.

'Behalve één oor', zei Sam, terwijl hij zijn rugzak oppakte.

'Wat is een oor bij buitenaardse wezens?' zei
Splotsh.

De Ford Cortina zat propvol. Ernie was zo klein,
dat hij op drie kussens moest zitten om over het
stuur heen te kunnen kijken. Sam vroeg zich af
waarom Hilda niet reed, want zij bemoeide zich
overal mee.

'Je rijdt te hard, blijf rechts houden, nee, je zit in
de verkeerde versnelling.'

Alles wat Ernie zei, was flauw klinkend: 'Ja
schat, nee schat.'

Het duurde bijna de hele dag voordat ze bij Ha-
rington-aan-Zee kwamen en toen ze dan eindelijk

arriveerden, kwam er rook uit de motorkap van de auto. Ze kwamen tot stilstand bij een bungalow, die er troosteloos uitzag en naar vocht rook en waar het binnen kouder was dan buiten.

Waarom iemand hier voor vakantie naartoe ging, daar snapte Sam niets van. De moed zonk hem in de schoenen.

'Dit ziet er heel aardig uit', zei Hilda.

'Zo,' zei Ernie, 'de zeelucht doet Sam goed want kijk, snoes, zijn oor is weer terug.'

'Natuurlijk is die terug', snauwde Hilda. 'Het was gewoon zijn idee van een grapje, van dat stinkende schooiertje, maar ik lach niet zo gauw.'

'Nee,' zei Ernie, 'dat klopt.'

13

Er was nauwelijks een nog treuriger en verlaten plek denkbaar. Zelfs toen de thee was gezet en de lampen waren aangedaan, kreeg Sam het gevoel dat hij aan het einde van de wereld zat en er geen weg terug was.

Sams kamer was kleiner dan zijn vorige en het ergste was dat de muren van papier leken. Hij kon alles horen wat Hilda en Ernie zeiden en nooit was het iets goeds. Eindelijk hoorde hij het gesnurk van Hilda. Hij wist dat het nu veilig was om in zijn rugzak te kijken. Hij wilde er zeker van zijn dat hij vannacht niet compleet gek was geworden, door zich te verbeelden dat hij een buitenaards wezen had gezien en een ruimteschip dat op een slawasser leek. Het was het enige dat hem hoop had gegeven, toen ze steeds verder van zijn huis reden, weg van alles wat hij kende en waarvan hij hield.

Voorzichtig haalde Sam alles uit zijn rugzak. Splotsh zat er niet in. Hij moest het zich verbeeld hebben. Hij keek nog eens. Er zaten alleen een paar dingen in die hij vanmorgen had ingepakt.

Hij draaide de rugzak binnenstebuiten. De tranen begonnen over zijn wangen te rollen. Hij had moeten wegrennen voordat ze hem gingen ontvoeren. Nu was Sam verloren, net als zijn mam en pap.

Hij lag in bed en vroeg zich af of hij de weg terug zou kunnen vinden als hij zou weglopen. Toen ging de slaapkamerdeur vanzelf open.

Sam ging rechtop in bed zitten en deed zijn schijnwerper aan. Langzaam kwam er over de grond, zonder dat iemand hielp, een fles tomatenketchup aan. De fles stopte en toen hoorde Sam het getik van voetjes. Hij zag een bord met kleine boterhammetjes in de lucht schommelen. Ze wiebelden dan weer naar de ene kant, dan weer naar de andere kant. Sam scheen met zijn schijnwerper in de richting van het bord. Een klein stemmetje zei: 'Niet doen, ik kan niks zien.'

'Ben jij dat, Splotsh?' zei Sam hoopvol.

'Wie anders', zei Splotsh, die weer zichtbaar werd en een bord met boterhammen in zijn hand hield. Sam was nog nooit eerder zo blij geweest een buitenaards wezen te zien.

'Deze', zei Splotsh trots, 'zijn voor jou. Boterhammen met tomatenketchup en kaas met pinda.'

Sam had zo'n honger dat hij ze allemaal opat.

Het smaakte heerlijk.

'Goed nieuws', zei Splotsh. 'Ik heb mijn ruimteschip gevonden. Slecht beetje, nat binnen.'

'Dat komt omdat Hilda denkt dat het een slawasser is', zei Sam.

'Het is een Viszler Junior Ruimte Rijder', zei
Splotsh, 'en dat monsterlijke wezen denkt dat het
een slawasser is, wat dat ook mag zijn.'

'Het is iets waar je sla in doet en dan zoef je het
in het rond en hocus pocus pilatus pas, je hebt
schone sla', zei Sam.

'Of pats-boem, je hebt een kapot ruimteschip', zei
Splotsh.

'Het spijt me', zei Sam.

Splotsh keek niet op. Hij was bezig zichzelf te
troosten met tomatenketchup.

14

Voor de eerste keer sinds Sam bij de familie
Hartsteen logeerde, voelde hij zich niet alleen. Samen met Splotsh zat hij op bed en
keek uit het raam. De maan leek net een
grote ballon die op de tuinmuur lag.
Sam vertelde aan Splotsh over de rampzali-
ge reis van zijn ouders en dat iedereen
dacht dat ze dood en verloren ergens in de
ruimte waren.
'Tut tut,' zei Splotsh, 'dat denk ik niet. Zeer
waarschijnlijk zitten ze vast in een grotter. Is
iemand ernaartoe gegaan om te kijken?'
'Wat is dat?' vroeg Sam.
'Je weet toch zeker wel wat een grotter is',
zei Splotsh.
'Nee, dat weet ik niet', zei Sam. 'Ik heb geen
idee. Wat is het?'
Splotsh keek bezorgd. 'Leer je dan
helemaal niets op school?'

'Rekenen, taal en geschiedenis, bijna alle-maal van zulke saaie dingen', zei Sam.

'Niets over de planeten en de sterren en de ruimtedraken?' zei Splotsh. 'Of hoe je voor een grotter moet zorgen en wat je moet doen als er een orgbek aankomt.'

'Nee', zei Sam, die bedacht dat hij veel liever over de ruimte zou willen leren dan over Willem de Veroveraar.

'Grotters', ging Splotsh verder, 'zijn zo zwart als de ruimte en moeilijk te zien. Ze hebben een enorm buikje en zwemmen rond met hun mond wijdopen. Ze schrokkelen alles op wat ze tegenkomen.'

Sam keek naar Splotsh. Hij wist nog steeds niet waarover hij het had.

'De Tien Ringen Planeet', legde Splotsh uit, 'is bangelstig. Dus wij zorgen voor de grotters en zij zorgen voor ons. Om de orgbekken weg te houden, bijvoorbeeld.'

'Wat zijn dat?' zei Sam.

'Gagi ruimtemonsters die hele sterren kunnen opschrokkeli', zei Splotsh.

'Waarom denk je niet dat een orgbek het Sterrenveer heeft opgeslokt?' zei Sam.

'Niet mogelijk. Ze leven heel diep in de ruimte en we zien ze bijna nooit. Ze doen geen moeite voor een snufje van een ding als een ruimteschip. Het is de moeite van het kauwen niet waard.'

'Kan een Sterrenveer overleven in een grotter of betekent dat het einde?' vroeg Sam.

'Waarschijnlijker voelt het grotterbuikje zich pap en slap', zei Splotsh. 'Ik moet een bericht naar huis naar mijn mam en pap sturen. Dan kan ik hun vertellen over het Sterrenveer.'

Maar hoe gingen ze dat doen, nu het ruimteschip van Splotsh kapot was?

15

De volgende morgen liet niet bepaald een vrolijk
vakantieplaatje zien. Er viel een fijne motregen en
Sam kon de zee niet zien, omdat een betonnen
muur het uitzicht versperde. Alle andere bunga-
lows in de buurt waren dichtgespijkerd.

Hilda was bezig de keuken op te ruimen. 'Ben je
vannacht opgestaan om wat te eten?' zei ze op
kwaadaardige toon.

'Nee', zei Sam.

'Er liggen anders broodkruimels waar geen
broodkruimels horen te liggen', zei Hilda.

'Misschien zijn er muizen', zei Sam.

Hilda pakte de bezem op en schudde ermee naar
Sam. 'Ik wil geen brutaliteiten meer horen van
jou, jij klein schooiertje. Ga buiten spelen.'

'Het regent', zei Sam.

'Wegwezen!' schreeuwde Hilda.

Sam ging naar buiten, de achtertuin in. Eigenlijk
kon je het geen tuin noemen. Het leek meer op de
binnenplaats van een gevangenis met zijn hoge
muren en siertegels. Er waren twee kapotte tuin-
stoelen, een waslijn met een beschimmelde thee-

58

doek eraan en een pot waaruit enkele oude plastic bloemen staken.

Ernie stond in het kleine schuurtje achter in de
tuin en prutste wat met draden.

'Wat ben je aan het doen?' vroeg Sam.

Ernie schrok zich bijna dood. 'Niets lieverd,
niets', zei hij. 'O, ben jij het. Wat kom je doen?'

'Het regent', zei Sam.

'O goed, je kunt wel blijven, maar je mag nergens
aan prutsen.'

'Wat is dat?' vroeg Sam en wees naar een appa-
raat dat er gek uitzag.

'Dat is een 27 MC-band radio', zei Ernie. Hij
straalde van trots toen hij aan Sam liet zien hoe
het werkte. 'Dit is geen gewone radio. Voordat ik
met pensioen ging, reed ik lange afstanden in

grote vrachtwagens. Op deze manier praatten we met elkaar. We hadden allemaal andere namen.'

Ernie bloosde en zei: 'Ik werd Rauwe Tijger genoemd. Soms, als ik geluk had, kon ik signalen oppikken helemaal uit Rusland of nog verder. Is-ie niet mooi?'

'Kun je er ook berichten naar de ruimte mee sturen?' vroeg Sam gretig.

'Dat weet ik eigenlijk niet', zei Ernie en krabde op zijn hoofd. 'Dat is een machtig eind weg, nietwaar. Ik bedoel, het is verder dan Rusland.'

'Een klein beetje maar', zei Sam.

'Maar ik heb net een grotere ontvanger gekocht', zei Ernie. 'Alleen heb ik problemen met het verbinden van de draden. De instructie lijkt wel in het koeterwaals geschreven', zei hij somber, terwijl hij naar de handleiding keek.

'Ernie, waar ben je?' schreeuwde Hilda.

'Hier buiten, snoes', riep Ernie.

'Wat ben je aan het doen?'

'Niets, liefste, gewoon wat prutsen', zei Ernie.

'Hou daar onmiddellijk mee op', schreeuwde Hilda, 'en kom hier om mij te helpen met de erwtensoep. En jij ook', schreeuwde Hilda naar Sam.

Een afschuwelijke geur van groente die veel te

lang gekookt had, kwam hen tegemoet toen ze de keuken in liepen.

'Ik wil dat je hier doorheen roert', zei Hilda en liet Sam een pan zien waar een stinkende, slijmerige, groene pap in zat. 'Laat het niet op de bodem aankoeken. Met deze soep moeten we de hele week doen.'

Sam zuchtte en deed wat hem was gezegd. Toen zag hij dat allebei zijn handen onzichtbaar werden.

'Hilda', zei Ernie, die vol ongeloof naar Sam staarde, 'denk je dat jongens vervagen als ze ongelukkig zijn?'

'Wat bazel je nu weer, Ernie?' zei Hilda.

'Sams handen. Ze zijn verdwenen', zei Ernie.

Hilda richtte zich tot Sam. 'Dit doe je met opzet, hè, jij ondankbare jongen, en dat na al die moeite die we hebben gedaan!'

'Ik wil alleen maar naar huis', zei Sam dapper. 'Ik hoor hier niet te zijn.'

'Hij heeft een punt, liefste', zei Ernie.

Hilda keek nog afschrikwekkender dan een oude, vleesetende dinosaurus. 'Hou jij je erbuiten, sukkel', snauwde ze. Ze torende hoog boven Sam uit. 'Jij gaat naar je kamer totdat je hebt geleerd niet zulke grapjes meer uit te halen, anders zal het je berouwen dat je ooit geboren bent.'

16

Splotsh zat op bed naar Sams walkman te luisteren en likte net gretig de laatste restjes tomatenketchup op.

'Het goede nieuws is,' zei Sam en ging naast hem
zitten, 'dat Ernie een radio heeft met een krachti-
ge ontvanger die hij niet aan de praat krijgt. Misschien kun je daarmee een bericht naar jouw planeet sturen. Het slechte nieuws is, dat ik kamer-
arrest heb totdat mijn handen weer zichtbaar
zijn.'

'Dat gaat lang duren dan', zei Splotsh.

Langzaam vervaagde Sam. Toen het theetijd was,
was hij helemaal onzichtbaar. Alleen zijn kleren
waren nog te zien.

'Ik denk dat ik dat plaatje niet op jou had moeten doen', zei Splotsh bezorgd. 'Het was voor mijn ruimteschip bedoeld, niet voor mensbonen.'

'Trek het je niet aan', zei Sam. 'Luister, de vorige keer kwam ik ook terug, dus waarom zou dat niet weer gebeuren?'

Splotsh wilde iets over onzichtbaarheid uitleggen, maar het had geen zin. Sam was veel te opgewonden en probeerde de beste kleren uit te zoeken om Hilda Hartsteen de stuipen mee op het lijf te jagen.

'Hai', zei hij kalm, toen hij de keuken in liep. 'Ik heb zo'n honger dat ik bijna verdwijn.'

Ernie en Hilda schrokken zich dood toen ze een pet en een broek op zich af zagen komen.

'Ik denk niet dat dit goed is, liefste', zei Ernie, toen hij geschrokken zijn krant liet vallen. 'We zouden hem toch moeten kunnen zien?'

'Natuurlijk moeten we hem kunnen zien', zei Hilda.

'Ik denk dat het 't beste is, als we hem mee naar huis nemen en een dokter naar hem laten kijken', zei Ernie.

'Wat denk jij dat er gebeurt, imbeciel, als we naar huis gaan met een onzichtbare jongen?' zei Hilda.

'Ik weet het niet, snoes', zei Ernie.

Hilda ging aan de keukentafel zitten. Ze maakte zich echt zorgen. Dit paste niet in haar grote plan. Ze zou er zelfs van beschuldigd kunnen worden dat zij Sams verdwijning had veroorzaakt. Dan waren ze in grote moeilijkheden. Hilda wilde niet dat haar plan de verkeerde kant opging. Niet nu ze zo dichtbij was bij wat ze wilde. Maureen Kok van Droommakers Reizen had gezegd dat zij alleen nog maar eventjes Sam hoefde te zien en dan was het geld zo goed als zeker van hen.

'Denk aan het oor, snoes, dat kwam terug', zei Ernie en probeerde bemoedigend te klinken.

Hilda vulde hun kommen met de groene, slijmerige erwtensoep.

'Eet op', zei ze en trok haar tv-gezicht. 'We willen niet dat je helemaal verdwijnt, toch.'

Sam deed zijn pet af en legde hem op tafel. Hilda sprong achteruit. Aan niets kon je nu zien dat

Sam in zijn stoel zat, behalve aan de lepel die met
de slijmerige soep speelde.

'Ik hou niet zo van erwtensoep', zei Sam, die het
erg leuk vond om te zien dat Hilda zich in allerlei bochten zat te wringen.

'Waar hou je wel van?' zei Hilda nerveus. 'Je
kunt alles krijgen wat je wilt, als jij maar weer
zichtbaar wordt.'

Dus somde Sam een lange lijst op, met om te be-
ginnen twaalf flessen tomatenketchup.

17

Die nacht kon Hilda niet slapen. Ze liep op en
neer in de zitkamer, toen er plotseling precies
voor haar neus een schilderij van de muur kwam
en een Chinees porseleinen hondje over de
schoorsteenmantel schoof. Sam vond het allemaal
geweldig.

'Ben jij dat, Sam?' vroeg ze met een beverig stemmetje. Sam gaf geen antwoord. Splotsh, die ook
onzichtbaar was, kietelde haar been. Ze liet een
schreeuw horen en op dat moment kwam Ernie
geeuwend binnen. Zijn
benen bibberden van
angst door wat hij
zag. Er zweefde een
stoel door de kamer.
'Dit is niet goed', zei
Ernie. 'Ik bedoel, dat
doen stoelen niet,
toch?'
De stoel viel plotse-
ling met een bons op
de grond.

'Natuurlijk doen ze dat niet, imbeciel', zei Hilda trillend.

'Weet je, snoes,' zei Ernie, 'ik denk dat het spookt op deze plek. Net voelde ik een koude wind-vlaag.' De deur van de zitkamer sloeg met een klap dicht.

Hilda herstelde zich. 'Natuurlijk spookt het niet', snauwde ze, terwijl ze een kussen oppakte en er-mee in de lucht sloeg. 'Hier, pak aan, kleine schooier', schreeuwde ze. Maar Sam en Splotsh waren vertrokken en stonden veilig buiten bereik in het schuurtje.

'Ik vind het leuk om onzichtbaar te zijn', zei Sam. 'Het enige nadeel is, dat het een beetje koud is zonder kleren aan.'

'Gossiepietje. Je hoort heen en terug te komen, niet zo de hele tijd te blijven', zei Splotsh. 'Hoe sneller we een bericht naar huis kunnen sturen, hoe beter.'

De radio werkte niet zo goed, wat vooral kwam doordat de draden op de verkeerde manier aan de ontvanger waren verbonden. Het duurde een poosje voordat Splotsh de draden ontward had. 'Schiet een beetje op,' zei Sam, 'ik krijg het koud hier buiten.'

'Nou, ga dan terug naar die monsterlijke grotto', zei Splotsh, 'en ga iets voor ons klaarmaken om ons rommelend buikje te vullen.'

De radio maakte nu vreemde geluiden en Splotsh bleef aan de knoppen draaien en luisterde. Toen zei hij iets in een vreemde taal die Sam niet kon verstaan.

'Χαλλιυγ Πλανευτ τευ ριυγσ.'

Sam liep terug naar de bungalow. De zitkamer zag eruit alsof een gigantisch nijlpaard hysterisch was geworden. Hilda was eindelijk uitgeput naar bed gegaan en snurkte als een slagschip dat de vijand aanviel.

Waarom onzichtbaar zijn zo geweldig is, dacht Sam toen hij de koelkast openmaakte, is dat ik niet meer bang ben. Ik heb een beetje macht nu en dat is echt een fantastisch gevoel. Hij schonk alle melk die er was in twee glazen, maakte een berg boterhammen met pindakaas klaar en pakte de laatste fles tomatenketchup.

'Ik heb thuis bericht gestuurd', zei Splotsh, die

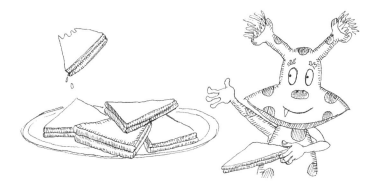

weer zichtbaar werd. 'Zij hebben gehoord van
een zieke grotter. Het was zelfs een nogal behoor-
lijke opwindgiller. Er zit beslist iets klem in de
grotter. Ze zijn ernaar weg toe. Ook zegt mijn
mam dat je je niet bezorgd moet maken en stuurt
jou haar toedel hais.'

'O, dat is geweldig', zei Sam. 'Dus wat gaat er nu
gebeuren?'

'Mam en pap willen morgen weer hai zeggen en
praten tegen mij. Ik moet ze ook vertellen over
het onzichtbare probleem', mompelde Splotsh. 'Ik
weet zeker dat mijn mam en pap er iets op kunnen verzinnen.'

18

De volgende morgen was het ongewoon stil in de
bungalow. Hilda was met de auto naar het dorp
om boodschappen te doen en Ernie was in het
schuurtje met zijn radio aan het spelen. Tot zijn
vreugde werkte de radio beter dan ooit en hij
pikte enkele hele rare signalen op: 'Χαλλιυγ σπ–
λογε σπαχε σηυττλε ρχοϖερεδ αλλ ου βοαρδ αρε
σαφε.'

Sam en Splotsh brachten het grootste deel van de
dag in de zitkamer door. Sam was nog steeds onzichtbaar, maar vandaag had hij kleren aan. Het
was te koud om zonder kleren rond te lopen. Samen zaten ze op de versleten bank en aten muesli

uit een pak, terwijl ze naar de tv keken naar alles waar ze maar zin in hadden.

Ernie had strikte instructies gekregen om Sam niet uit het oog te verliezen. Steeds kwam hij uit het schuurtje gelopen om te kijken en dan vroeg hij: 'Gaat het goed met je?' Een keer toen hij kwam kijken, was hij er zeker van dat hij een klein, groen gestipt ventje naast Sam zag zitten. Maar daarna bedacht hij weer dat hij het zich vast had ingebeeld, want hij had zijn bril niet op en de volgende keer dat hij ging kijken, was het weg.

Rond twee uur ging de telefoon. Ernie nam op. Het was Maureen Kok van Droommakers Reizen. Ze klonk vreselijk behulpzaam en zei dat ze morgen langskwam om Sam op te zoeken om over zijn toekomst te praten.

'Dat is fijn', zei Ernie en legde de telefoon neer. Hij vertelde aan Sam wat ze zojuist had gezegd.

'Denk je dat ze me zal herkennen?' vroeg Sam.

'O jee', zei Ernie. 'O jee, ik was vergeten dat je onzichtbaar bent.'

Hilda had niet zo'n goede bui toen ze tegen thee-tijd weer thuiskwam, volgeladen met boodschap-pentassen. Haar stemming werd er bepaald niet beter op toen Ernie haar over Maureen Kok vertelde. Ze begon te grommen als een oude boiler die op barsten stond.

'Je bent echt een hopeloze sukkel', zei ze tegen Ernie, die heel schaapachtig stond te kijken. 'Wat gaan we haar laten zien, een onzichtbare jongen?'

'Misschien,' zei Sam, 'dat als je aardig tegen me zou zijn, ik weer zichtbaar word.'

'Het is het proberen waard', zei Ernie met een klein, beverig stemmetje.

Hilda zei niets, maar dreunde en stampte door de keuken terwijl ze de boodschappen uitpakte.

'O, dat ziet er goed uit, snoes', zei Ernie, toen hij alle boodschappen zag waar Sam om had gevraagd, inclusief de twaalf flessen tomatenketchup.

'Nou, niets ervan is voor jou', snauwde ze tegen Ernie. 'Jammer genoeg ben jíj niet onzichtbaar.'

Ze gaf Sam een tas. 'Doe dit aan', beval ze.

In de tas zaten een wollen bivakmuts, een paar kleurige handschoenen, een goedkope donkere bril, en als klap op de vuurpijl, een paar plastic neplippen.

'Waar is dit voor?' zei Sam lachend.

'Dit is niet grappig', zei Hilda. 'Doe wat ik zeg.'

Toen hij zichzelf in de gangspiegel zag, kon hij niet meer ophouden met lachen. O, nu zag hij er echt angstaanjagend uit, alsof hij op het punt stond een bankoverval te plegen. Leve de dag van morgen, dacht hij. Hoe ging Hilda zich uit deze puinhoop redden?

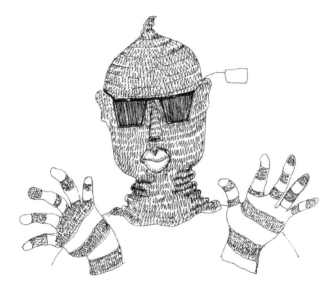

19

De reden, zei Splotsh, dat Splotshers van tomatenketchup hielden, was simpel. Door de saus zagen ze er beter uit, bleven ze
jong, gezond en slim. Alleen
wisten ze op Tien Ringen Planeet niet hoe ze tomaten moesten kweken. Alleen op aarde
kon van de tomaat het juiste
spul worden gemaakt voor
buitenaardse wezens.

'Ben je hier dan al vaak geweest?' vroeg Sam.
Splotsh keek naar zijn voeten. 'Nee,' zei hij, 'ik
ben hier nog maar één keer geweest met mijn vader en dat was maar een kort bezoekje.'
Het bleek dat Splotsh nog maar net zo oud was
als Sam en dat dit de eerste keer was dat hij in
zijn eentje naar de aarde was gereisd.
'Ik wilde mijn moeder een cadeautje geven,' zei
Splotsh bedroefd, 'maar het ging allemaal een
beetje sterrig verkeerd. Ik ben nog maar een leer-
ling-ruimtevaarder. Volgend jaar begin ik met de
GRR-cursus.'

'Wat is dat?' vroeg Sam.

'Gevorderde Ruimte Reizen', zei Splotsh. 'Dan leren we alles over de ruimte en al die andere dingen, zoals grotters en orgbekken.'

Sam wilde het liever niet vragen, want hij had het vervelende gevoel dat hij het antwoord al wist.

'Heb je ooit eerder een van die onzichtbare plaatjes gebruikt?' zei hij.

'Nee', zei Splotsh.

'Weet je wat er gebeurt als zo'n plaatje op een jongen zoals ik wordt gedaan?' vroeg Sam.

'Nee', zei Splotsh, een beetje met een beschaamd gezicht. 'Ze mogen alleen maar gebruikt worden als alles is gewamslingerd.'

Sam begon zich een beetje paniekerig te voelen. Het was prima om voor een paar dagen onzichtbaar te zijn, maar niet voor altijd. Wat als zijn ouders terugkwamen uit de ruimte? Hoe konden ze dan weten dat hij Sam was als ze hem niet eens zelf konden zien?

'Word ik ooit weer zichtbaar?' vroeg Sam angstig.

'Moet pap spreken', zei Splotsh. 'Ik weet zeker dat er iemand op Tien Ringen Planeet is, die weet wat eraan gedaan kan worden.'

Maar het bleek behoorlijk moeilijk om een bericht
naar huis te sturen. Ernie had weer met de radio
zitten prutsen en het duurde eindeloos voordat
Splotsh een signaal kon oppikken. En toen kon
hij nauwelijks horen wat ze zeiden, behalve zo'n
raar woord als σουνδ σηυττλε σαφε.
'We moeten het morgen nog eens proberen', zei
Sam, toen hij het gezicht van Splotsh zag. Hij was
moe en zijn heldergroene huid begon zijn glans
te verliezen.
'Gossiepietje, ik wil naar huis', zei hij verdrietig.
'Ik mis mijn mam.'
'Ik weet het', zei Sam. Hij bracht Splotsh terug
naar huis, gaf hem een fles tomatenketchup en
stopte hem in bed.
'Ik ook', zei Sam zachtjes. 'Ik mis mijn mam en
pap echt heel erg.'

20

De volgende dag was de familie Hartsteen vroeg
op om de bungalow op te ruimen en schoon te
maken.

Hilda zette haar lachende gezicht op, dat ze onder in een oud make-uptasje bewaarde en alleen
gebruikte voor speciale gelegenheden. Ernie deed
zijn enige pak aan dat hij bezat. De thee stond
klaar op een dienblad in de zitkamer en de gordijnen waren dichtgedaan. Hilda had Sam in een
stoel neergezet met een plaid over zijn benen.

Toen Ernie hem
daar zag zitten
met de bivakmuts,
donkere brillen-
glazen en valse
lippen, schrok hij
zich een hoedje.
'Hilda,' zei hij, 'er
zit een vreemde
vent in de stoel.
Net zat hij daar
nog niet. Heb jij

hem binnengelaten? Hij ziet er erg angstaanjagend uit!'

'Dat is Sam, sukkel', zei Hilda.

Toen Maureen Kok arriveerde, was ze nogal over-
donderd door het vakantie-idee van de familie
Hartsteen. De bungalow was vervallen en het
rook er naar vocht.

'U had ook ergens naartoe kunnen gaan waar het
leuk en warm is', zei ze. 'We zouden het graag
betaald hebben.'

'We wilden niet te inhalig overkomen', zei Hilda
met een glimlach. 'Niet voordat alles is geregeld,
om het maar zo te zeggen.'

'Onthoudt u alstublieft,' zei Maureen, 'Droommakers Reizen is er om uw dromen werkelijkheid te
laten worden.'

'Ik hoop het', zei Hilda en nam Maureen mee
naar de zitkamer en zette haar in een stoel zo ver
mogelijk van Sam vandaan. Hilda gaf haar een
kopje thee en een plakje cake en bleef maar door-
praten, als een autoalarm dat niet meer ophield.
Ze bleef leugens verzinnen over hoeveel zij en
Ernie om Sam gaven en hoe leuk hij het vond om
zomaar in het donker te zitten met een bivakmuts
op zijn hoofd.

'Het geeft hem het gevoel beschermd te zijn tegen de buitenwereld. Verdriet', zei Hilda, 'kan vreemde dingen met iemand doen.'

'Alstublieft, mevrouw Hartsteen,' zei Maureen, 'wilt u mij laten praten? Voel je je goed, Sam?' vroeg ze.

'Zoals ik al zei,' onderbrak Hilda, 'Sam is een beetje verlegen.'

Sam knikte en mompelde: 'Het is oké.'

'Vind je het hier leuk?' begon Maureen.

Weer onderbrak Hilda haar. 'Deze vragen zijn toch niet te vermoeiend, hè?' zei ze met een bezorgde stem. 'Het is gewoon zo, dat wij veel om de jongen geven en hem willen beschermen. Ik ben tenslotte niet voor niets de Beste Buur van het Land genoemd.'

'Zeker', zei Maureen, terwijl ze een foto van Sam uit haar tas haalde en naar het raam liep om de gordijnen open te schuiven. 'Ik wilde graag jouw gezicht zien, Sam, als je het niet erg vindt.'

'Ik vind het erg', zei Hilda en ging snel langs haar heen voor het raam staan. 'Hij heeft vreselijk veel moeten doorstaan, waarom moet hij deze vragen beantwoorden? Is het niet al genoeg dat hij hier is?'

'Ik doe gewoon mijn werk, mevrouw Hartsteen',
zei Maureen vermoeid. Dit ging niet volgens
plan. Ze had gehoopt dat dit binnen de kortste
tijd geregeld had kunnen worden.
'Zoete toffees', zei Hilda en hield haar een snoep-
schaaltje voor. 'Heb ik zelf gemaakt.'
Maureen lachte zwakjes. 'Nou, eentje dan als u
erop staat. Daarna moet ik Sam deze vragen stellen.'
Sam zag hoe een blik van ontzetting op het gezicht van Maureen Kok verscheen, toen haar ka-
ken langzaam aan elkaar begonnen te kleven en
ze niet meer in staat was iets te zeggen.

Hilda bracht haar terug naar de stoel die het verst van Sam af stond.

'Zullen we over het geld praten?' zei Hilda en glimlachte charmant.

Op dat moment kwam Ernie de kamer binnen. 'Geweldig nieuws, snoes', zei hij. 'Het Sterrenveer heeft contact gemaakt met de aarde. Ik hoorde het zojuist op mijn 27 FM-band radio. Het ziet ernaar uit dat meneer en mevrouw Straal toch nog thuiskomen.'

'Hoera!' schreeuwde Sam, waardoor de valse lippen door de kamer schoten.

Maureen keek geschokt en Sam sloeg zijn handschoen voor zijn mond en zei: 'Dat is het beste nieuwtje ooit.'

21

Maureen had een cheque uitgeschreven om de
kosten van de vakantie te dekken.

'Is dat alles?' zei Hilda toen ze zag hoe weinig ze
gekregen had.

Maar Maureen was al naar haar
auto gerend, nog steeds niet in
staat iets te zeggen. Ze hield
een zakdoek voor haar mond.

'Wacht even, kom terug',
schreeuwde Hilda.

Het was te laat. Maureen
scheurde met topsnel-
heid weg over de straat.

'Het is jouw schuld', schreeuwde
Hilda tegen Ernie. 'Als jij niet zo binnen was komen vallen, hadden we een hele berg
geld gekregen.'

Hilda liep als een aanstormende vijand het
schuurtje binnen. Ze pakte de 27 MC-band radio
en tilde hem hoog boven haar hoofd op.

'Niet doen!' schreeuwden Ernie en Sam tegelijk.
Het was te laat. Hilda gooide hem op de grond.

'Ik denk,' zei Ernie bedroefd, 'dat je hem kapot hebt gemaakt.'

'Ik hoop het', zei Hilda. 'Als je maar een beetje hersenen had, dan had je gesnapt wat ik probeerde te doen, in plaats van al mijn plannen in de war te gooien.'

Hilda ging terug naar de keuken. Sam liep achter haar aan. Alles wat van hem nu te zien was, was een donkere bril.

'Jij ellendig jongetje, dit zou allemaal niet gebeurd zijn als jij niet onzichtbaar was geworden', gilde Hilda. 'Nou, je kunt met je spelletje stoppen. Ik ben niet zover gekomen om alles door jou te laten verknallen. Jij wordt weer zichtbaar en gaat aan je vader en moeder vertellen dat je het geweldig bij ons hebt gehad. Hoor je me?'

Sam, die al lang niet meer bang was voor Hilda, zei kalm: 'Dat doe ik niet. Ik ga ze de waarheid vertellen. Dat jij een gemene heks bent.'

Hilda greep een bezem vast. 'Hoe noemde jij me?' schreeuwde ze. Ze sloeg met de bezem omlaag, die met een harde klap op de zonnebril terechtkwam, die kapot op de grond viel.

Op dat moment kwam Splotsh helemaal zichtbaar de keuken binnen.

'Ben ik het mee eens', zei hij.

Hilda liet van pure schrik meteen haar bezem vallen en klauterde zo snel als haar dikke benen het toelieten op tafel. Splotsh liep naar de kapotte zonnebril en raapte hem op.

'Jij', zei Splotsh, 'moet vogelverschrikker worden.'

Hilda begon keihard te gillen.

Ernie kwam binnen met zijn kapotte radio in zijn armen.

'Kijk!' gilde Hilda, terwijl ze naar Splotsh wees. 'Een monster, een rat, een buitenaards wezen. Blijf daar niet zo staan, doe iets!'

Als Ernie zich niet vergiste, dan was dit hetzelfde kleine ventje dat hij laatst naast Sam op de bank had zien zitten.

'Nou, waar wacht je op? Ik denk dat dat beest Sam heeft vermoord!' zei Hilda. 'Kijk eens naar de kapotte zonnebril.'

Ernie zei niets. Hij had al veel angstaanjagende dingen gezien in zijn leven, maar helaas was niets van dat alles zo angstaanjagend als zijn vrouw als ze een van haar buien had.

'Ik snap niet waar al die heisa over gaat', zei Sam, die onzichtbaar aan de andere kant van de kamer stond. 'Dit is mijn vriend Splotsh, van Tien Ringen Planeet, en hij vindt het vast niet zo leuk dat jij zijn ruimteschip kapot hebt gemaakt door het te vullen met water.'

Hilda werd bleek van angst. 'Doe iets, Ernie', smeekte ze.

Voor de eerste keer dat hij met Hilda getrouwd was – eeuwen geleden in een ver, donker verleden – voelde Ernie zich dapper. Als een jongen en een klein buitenaards wezentje het tegen haar konden opnemen, dan kon hij dat ook.

'Nee, dat doe ik niet', zei hij ferm. 'Deze keer ben je te ver gegaan, Hilda. Ik had de moed moeten hebben om jou tegen te houden, maar dat heb ik niet gedaan – jammer genoeg.'

Splotsh stapte naar voren. 'Jij bent een wrede en
gemene hart steen en jij bezorgt de mensbonen
op aarde een slechte naam', zei hij en hield zijn
kleine handjes recht voor zich uit. Heldergroene
stralen kwamen uit zijn vingertoppen. Het gezicht van Hilda werd afschuwelijk roze, waarop
kleine, groene stippen verschenen.
'Da's een leuke', zei Sam.
Hilda klom snel van tafel, rende de gang in,
greep haar jas en hoed, propte de cheque in haar
handtas en rende de voordeur uit. Zo snel als
haar korte, dikke benen haar konden dragen, rende ze weg over straat.

22

Die avond ging ieder programma op tv over de wonderbaarlijke terugkeer van het Sterrenveer naar de aarde. Experts praatten over zwarte gaten en allerlei andere theorieën om uit te leggen hoe een ruimteschip zo lang vermist had kunnen zijn. Niemand noemde de grotters of had het over een kleine planeet die Tien Ringen heette. Splotsh probeerde de hele avond de radio met zijn ruimteschip te verbinden in de hoop dat hij een bericht naar huis kon sturen, maar niets werkte. Ernie stond buiten in de achtertuin met de ontvanger.

'Probeer het nu', zei Ernie. Er waren een paar bliepgeluiden te horen en toen niets meer.

'Gossiepietje, het is hopeloos', zei Splotsh bedroefd. 'We zijn echt verprutst.'

'Vaak als dingen niet werken', zei Sam, 'geeft mijn vader er een klein tikje tegenaan. Hij zegt dat dat helpt ze wakker te schudden.'

'Doe dan', zei Splotsh.

Sam gaf een klein klapje boven op het ruimteschip. Er gebeurde niets.

'Nou,' zei Splotsh, 'het helpt niet.'

Maar verder kwam hij niet. Er kwam plotseling licht uit het ruimteschip. Vonken in alle kleuren van de regenboog schoten eruit en verlichtten de kleurloze achtertuin.

'WAUW!' zei Sam.

Toen hoorden ze allemaal

'Τηισ ισ πλανεντ τευ Ριγγσ Χαλλινγ Σπλοδγε.'

'Dat is mijn vader!' schreeuwde Splotsh.

Het ruimteschip dat die avond in de achtertuin landde, was veel groter. De ouders van Splotsh waren dolblij om hun zoon weer te zien.

'Dit is Sam', zei Splotsh, terwijl hij naar zijn tenen keek. Sam stak de mouw van zijn sweater naar voren.

'O jee', zei de vader van Splotsh. 'Wat heb je gedaan, junior?'

'Hij probeerde mij te beschermen', zei Sam. 'Hij wist niet dat ik niet onzichtbaar kon worden.'

'Sorry, pap', zei Splotsh.

Zijn vader lachte vriendelijk. 'Nou, dat moeten we maar eventjes rechtzetten.'

Hij stak zijn handen naar voren en toen kwam Sam in blauw licht te staan. Het volgende ogenblik was hij er weer, zichtbaar.

'Bedankt', zei Sam. 'O, wat fijn dat iedereen me weer kan zien.'

Ernie bood aan thee te zetten, maar de ouders van Splotsh wilden zo snel mogelijk weer naar huis.

'Wacht even, ik kan niet mee zonder mams cadeautje', zei Splotsh.

Hij rende de bungalow in en kwam terug met twaalf flessen tomatenketchup.

'Deze zijn voor jou, mam', zei Splotsh.

Ze gaf hem een knuffel en bedankte daarna Sam, omdat hij zo goed voor Splotsh gezorgd had. 'Hij is een beetje jong om dit te doen', zei ze en zwaaide gedag. Sam wilde de ouders van Splotsh bedanken voor het helpen terugvinden van zijn vader en moeder, maar daar was geen tijd meer voor. Hij werd onderbroken door het geluid van politieauto's, die met loeiende sirenes over de weg kwamen aangereden. Splotsh kon nog net zwaaien voordat de deuren van het ruimteschip voor zijn neus dichtgingen. Toen was er een wervelend geluid en verdwenen ze in een regen van licht en glitters.

De politie klopte hard op de voordeur. 'Meneer en mevrouw Hartsteen,' schreeuwden ze, 'doe open in naam der wet.'

23

Het was de beste
thuiskomst die
ze ooit hadden
meegemaakt.

Mam en Pap waren in de wolken
toen ze hun lieve zoon weer zagen. Ze waren vreselijk trots op Sam, hoe goed hij zich had weten
te redden. Het was maar moeilijk te begrijpen dat
Hilda zo wreed en afschuwelijk bleek te zijn.
Maureen Kok had de politie gewaarschuwd. Toen
zij arriveerden, konden ze nog net vonken van
achter de tuinmuur zien komen.
In stijl hadden ze Sam terug naar zijn ouders ge-
reden. De blauwe zwaailichten hadden de hele
weg naar huis aangestaan.
Ernie was voor ondervraging meegenomen, terwijl Hilda gevangen was genomen toen zij op het
vliegtuig naar Mallorca probeerde te stappen.
Haar roze gezicht met groene stippen had haar
verraden. Meneer en mevrouw Hartsteen werden
allebei beschuldigd van kidnapping en bijna-dief-
stal van andermans geld.

Eindelijk had Hilda de roem gekregen waar ze al zo lang op had zitten wachten. Haar foto verscheen in iedere krant met het onderschrift: 'De buurvrouw uit de hel'. Ze werd in de gevangenis gezet. Ernie werd met een waarschuwing vrijgelaten. De rechter vond dat als hij niet zo bang was geweest voor zijn vrouw, hij niet met haar plannen had ingestemd.

Mam en pap waren heel gelukkig om weer terug op aarde bij Sam te zijn. Het gekke was dat ze zich totaal niet konden herinneren wat er met hen was gebeurd, behalve dat ze op de terugreis in slaap waren gevallen en weer wakker waren geworden toen ze landden. Iedereen aan boord was stomverbaasd, toen ze hoorden dat ze zo lang vermist waren geweest. Zelfs de functionarissen in Houston gaven toe dat de vermissing van het ruimteschip een mysterie was.

'Het leek alsof het onzichtbaar was geworden', zei een wetenschapper uit Houston.

Sam zei niets over Splotsh. Wie zou hem geloven? Tijdens de rechtszaak was Hilda blijven doorzagen over buitenaardse wezens en hoe jongens niet gezien konden worden. Iedereen dacht dat ze stapelgek was geworden.

Toen alles voorbij was, leefde Ernie weer stilletjes naast hen en rommelde wat in de tuin. Op een avond leunde Ernie over de schutting en zei tegen hem: 'Er is iets wat me erg dwars zit.'

'Wat?' zei Sam.

'Dat kleine ventje Splotsh, hij vroeg me iets toen ik hem met de radio hielp. Hij vroeg of ik wist wat 57 soorten betekende. Denk jij,' zei Ernie, 'dat hij het had over de ruimte en het heelal?'

'Tomatenketchup', zei Sam.

Ernie snapte er niets van.

'Dat staat op de fles van de tomatenketchup, 57 soorten', zei Sam en allebei proestten ze het uit.